KB003682

안녕한 밤을 보낸다는 건

shall peace come for my night

안녕한 밤을 보낸다는 건

shall peace come for my night

서문

별 보는 일을 좋아한다. 그래서 어느 장소에 가도 밤에 고개를 맞추는 습관이 있었다. 별과 같은 사람이 되고 싶었는데, 이젠 별 하나에 누군가 떠올리고 있음을 깨닫는다.

미술 시간에 화가가 되고 싶었다. 10살짜리는 케케묵은 물감 냄새를 좋아했는데, 자기 손으로 별을 만드는 일이 너무나 멋져 보였다. 그렇게 별과 같은 사람이 되고 싶기를 수없이 반복하고 나서야 누군가를 그리워하고, 아파할 줄도 알았으며 외로워할 수 있었다.

결국 우리는 별 같은 어른이 되어서도 저마다의 밤을 만들고 있었다. 이제는 생각 없이 보내는 밤이 더 어려워서, 좋은 아침이라는 말 대신 위로 같은 밤들을 적는다.

안녕한 밤을 보낸다는 건

위로 같은 밤이 있다면

hear soft lullaby at dark night

이름 없는 별들

dear stars, unnamed stars

이젠 별을 볼 수 있었다

peace come for twinkle, at last

위로 같은 밤이 있다면

hear soft lullaby at dark night

생각보다 가까이

학창 시절, 교실에서 종이 하나를 받았다.

자기소개하기. 이름 적는 란을 뒤이은 칸은 한자, 즉 이름의 뜻을 적어야 했다. 그땐 아직 초등학생이었는데, 선생님께서는 꼭 다음 날까지 이름의 뜻을 알아오라고 하셨다. 한참이 지난 지금에서야 왜 그러셨던 걸까 다시 떠올려 본다.

나이가 들수록 두고 가는 것이 있다. 꿈. 행복. 튕겨 나간 파편 같은 것들. 그러다 보니 존재감 없는 삶에 때로는 익숙해지기도 했다. 분명, 나를 사랑하는 일을 잊고 있었다.

있을 존存에 있을 재在.

사실 당신은 언제나 이곳에 서 있었는데 말이다. 의자 끄는 소리가 들리고 떨리던 목소리가 나왔다.

"제 이름은..."

어쩌면 그때부터 나는, 나를 사랑하는 연습을 하고 있었던 건지도 모른다. 생각보다 가까이에서부터.

이른 햇살

이른 햇살이 커튼을 휘감는다. 자연스레 떠지는 눈에 창살을 너울거리며 나근거리는 햇빛, 살갗에 닿는 잔잔한 바람을 담아보기도 한다. 이렇게 이른 햇살이 찾아온 하루는 꽤나 생소했다. 어떤 말 없는 위로를 받는 기분이랄까.

어떤 말로도 부족한 사람이 있다. 존재 자체로 위로가 되는 사람. 자연스레 감기는 눈에 살며시 누군가를 담아보기도 한다.

어느 날 이른 햇살과 같은 당신이 찾아오면 꼭 말해줘야지. 당신은 생각보다 많은 걸 눈에 담아볼 수 있는 그런 하루 속에서 살고 있다고.

소란하지 않게 내어주는 법

예민한 사람들은 냄새나 생각을 먼저 맡아대기도 한다. 그래서 가끔은 조금 먼저 아프기도 하다.

한여름에 지독히도 열이 났다. 유독 더운 날에 걸린 몸살. 열은 도저히 내릴 기미가 없었고 꼭 이럴 때면 혼자 있는 게 서럽기도 했다. 약을 사러 갈 정신도 없어 미련하게 새벽을 보냈다.

여름은 지치지도 않고 더워가기 바빴다. 계속되는 여름 덕에 차가워진 실내 온도. 이번엔 재채기까지 나왔다. 나은 듯싶던 여름 감기가 다시 발을 들이밀 것 같아 이불 속을 향했다. 그리고 잠결에 문소리가 들렸다. 작지만 고운 손이 내 이마에 얹어진다. 나는 그대로 눈이 감겨버렸다. 소란하지 않은 따스함이었다. 기댈 수 있던 그 손 덕분일까. 이번 아침은 밤을 푹 보내고 나서야 눈을 뜰 수 있었다.

먼저 앓고 나서야 예민하던 나는 무언가 깨닫는다. 조금 더 빨리 아픈 만큼 더 내어줘야겠다고. 삶은 기댈 줄 몰랐다가 소란하지 않게 어깨를 내어줄 줄 아는 사람이 되는 것이라고.

봄을 사랑하는 까닭

제일 좋아하는 계절이 뭐냐고 물을 때면 나는 고민 없이 겨울과 여름 사이에 숨 쉬고 있는 것을 집어 들었다. 아무 말 없이 찾아와준 사람과, 사랑의 품을 닮은 것이 분명해서.

닮아가다.
살아가다.

전부 앞을 향해 걸어가고 있었다. 무언가 닮고 싶다고 생각한 적은 거의 드물었는데, 만약 어떤 방향으로 걸어갈 수 있다면 한 걸음 내딛을 때마다 봄의 성질과 모양새 같은 걸 닮아가고 싶었다.

"완연한 봄이 찾아왔습니다."

기상캐스터의 한 마디로 짓누르고 있던 눈꺼풀이 떠진다. 올해도 벌써 봄 냄새가 소리 없이 성큼 다가왔다. 세상에 있는 것들을 사랑하려고 찾아온 것이 분명했다.

한 여름 밤의 꿈

거리에 새빨간 장미가 쏟아져 있었다. 핸드폰을 꺼내 사진을 찍어대다 이제 곧 붉은 장미색을 닮은 여름이 찾아온다는 게 실감 났다.

붉은 여름. 나는 붉은 여름이 피어나면 버릇처럼 시원한 것을 찾는다. 푸른 바다라든지. 한여름의 밤이라든지. 꼭 나에겐 사랑이 그러했다. 한여름에 쏟아진 밤처럼 누군가를 기억한다. 매미들이 울어대던 지난밤의 바람까지 잊히지 않는 것처럼. 그래, 당신은 마치 한여름 밤의 꿈같았다.

생각해보면 사랑하는 일은 그렇다. 꿈같은 누군가를 만나는 것이 아니라 누군가를 만나 꿈을 꾸는 것.

"Things base and vile, holding no quantity,

Love can transpose to form and dignity.

Love looks not with the eyes but with the mind;

And therefore is winged Cupid painted blind."

"사랑은 저급하고 천하며 볼품없는 것들을

가치 있는 형체로 바꿔 놓을 수 있어.

사랑은 눈이 아닌 마음으로 보는 거야.

그래서 날개 달린 큐피드를 장님으로 그려놓았지."

셰익스피어 < 한여름 밤의 꿈 >

더위

넌지시 한 일들을 좋아한다. 햇살이 천천히 올라가다 내려오고, 슬며시 볼을 간지럽히는 바람이 살랑대는 일들. 그래서 갑작스레 들이대는 것은 매번 어려웠다. 통유리를 비집고 나오는 뜨거움도 마찬가지였다. 당신의 이름을 부르는 일이 그러했는데, 꼭 더위를 머금었는지 모를 만큼이었다.

선물 한 쪽

삶이 무언가에 의해 덮쳐질 것만 같은 순간들이 있다. 누구나 찾아오지만 꼭 나에게만 떠밀려오는 것 같은 그런 순간이. 항상 그럴 때는 혼자였다. 생각해보니 너무나도 그러했다.

파도波濤, 바다에 이는 물결

.

.

영문 사전에서 'wind wave'라고 검색해야 파도가 나올 만큼 파도에서 바람이 차지하는 비율은 꽤나 크다.

바다는 넘실대지 않을 수 없다. 가끔, 벅차게 넘칠 듯 차오르기도 하며 한바탕 넘실대는 바람을 겪는다. 그럼에도 불구하고 바다는 지금의 자리를 묵묵히 지켜낸다.

삶도 마찬가지였다. 자신만의 바다를 바람으로부터 지켜낼 수 있던 까닭은, 파도를 겪는 것 그 자체였다. 그러면서 수많은 것들 사이에 섞여 있는 조그만 위로를 볼 수 있는 것이다.

우리 삶은 바다와도 같겠다. 평범해 보이는 삶 속에 때로는 조그맣게 넘실대는 위로로 잔잔해지는 것이라고. 이미 당신은 충분히 잘하고 있다고.

태어난 해와 달과 날

생일 축하해,라는 말은 선물과도 같아서 나를 피워 낸다. 감히 이런 말을 들을 자격이 있을까 싶다가 이제부터 그들의 나날들을 내리 피워낼까 한다. 내가 살아 있는 까닭이 있다면 소중한 이들을 더 사랑하려 한 것이라. 꽃으로 피어난 날로부터.

生年月日: ____________

다리의 어원

걸음마를 뗀 아이가 웃고 있었다. 밤도 아닌 거리에 참으로 예쁜 게 걸려있었다.

지금 와서 보면 나에겐 걷는 법은 당연했다. 걷는다고 해서 웃음이 나지 않았다. 잠시 걸음을 멈추곤, 다른 이들의 발걸음 소리에 눈을 맞추기로 한다. 표정, 행동, 걸음걸이까지도 모두 달랐다. 미간의 주름마저 정말 다르지 싶었다. 그렇게 잔뜩 불이 붙어 구경해 보다 걸어가는 것에 대해 생각해 본다.

허둥지둥 걷다. 술에 취해 비틀거리며 걷다. 비를 맞으며 절벅절벅 걷다. 종종걸음으로 걷다. 느릿느릿 걷는다. 거리를 걸어대는 방법도 제각각이었다. '바닷가 길을 따라서, 그리고 고개를 넘어서 마을을 내려다보고 모자는 타박타박 걷는다.' 박경리 작가의 토지 중 한 구절이 떠오른다. 그렇게 타박타박 인생들이 저마다의 소리를 내며 걸어가고 있었다.

원래 '걷다'는 다리의 어원이라고 한다. 어쩌면, 걷는다는 건 누군가의 다리가 되어가는 과정이지 않을까.

사랑 날씨

나른히 걸려있는 오후, 포근히도 안고 싶은 그런 시각. 천천히 사랑하고 싶은 그런 날은 예쁜 것을 폭 닮아 있는 당신 때문임을 깨닫는다.

곁에 두고 싶은 것들

살면서 곁에 두고 싶은 말들이 있다. 나는 너의 모든 걸 아낀다는 말이라든지. 다정한 눈빛을 가지고 있다는 말들.

가까이에 두고 싶은 것들은 나와 정반대라고 여겼다. 어떤 기준점에 모자란다고. 흔히 나와는 인연이 아닌 것 같다고 말이다. 아무도 그렇게 말하는 사람은 없었음에도 불구하고 흐릿한 생각만 하는 사람이 되어 눈이 멀어간다.

어쩌면 여태까지 그 사이에 커다란 공간을 만든 건 나였다. 생각이 생각에서 꼬리를 물고 간다. 버릇이란 게 이토록 무서웠구나.

그러다 이 거리를 좁힐 수 있지 않을까 하는 생각에 턱 목이 막힌다. 그 멀고도 멀었던 기준점이 사실 내가 만든 허상이라는 걸. 나는 길고 길었던 꼬리를 자르는 일 따위 못해서, 그 꼬리까지도 삼키는 법을 배운다.

생각해 보면 내가 달고 있던 꼬리표는 아무것도 아니었고. 오히려 스스로 채워놓는 족쇄 쪽에 가까웠다. 아무도 나갈 수 있다고 말해주지 않아서. 조금의 용기. 그것이면 충분하다.

곁에 두고 싶은 말들이 꿈이 되기도 한다. 어쩌면 작다고 생각했던 일상. 그 작은 것들이 커다란 이상을 이루는 것이다.

싱그러운 일

비가 억세게 내렸다. 예상치 못한 일들이 가끔 내리기도 했다. 어머니는 정류장으로 아들을 마중 나갔다. 누군가를 마중하러 나가는 일은 어떤 기분일지 생각해보기도 한다. 나란히 걷는 저 둘의 어깨를 보고 두연히 깨닫는다. 따뜻한 행복이 있다면 폭 이런 것이라고.

비가 그치고 나면 꽤나 많은 것들이 싱그럽다. 저녁 짓는 웃음소리, 가끔은 한 움큼 싸워대다 잠든 숨소리. 그렇게 싱그러운 소리들은 퍽 가까이서 숨 쉬고 있었다.

너무 가까이 있는 것은 한 발자국 뒤로 가야 보이기도 한다. 가끔 비가 오고 마중을 나가는 일처럼 말이다.

평범하다는 건

과일 하나를 서걱대며 잘라도 왠지 예쁜 접시 위에 놓고 싶다. 그냥 먹으면 되는 걸 왜 그러냐고. 나도 그냥 이렇게 먹고 싶을 뿐이었는데. 그렇게 나는 별다른 이유 없이 조금은 다른 대답을 하는 사람이었다.

커가면서도 왜 그렇게 생각하냐는 물음을 자주 받았다. 그렇게 남들과는 조금 다른 내 생각 때문에 나는 다를 수도 있다고 대답하는 용기부터 배워야 했다.

평범하지 않으면 쳐다보는 시선들. 또 같은 대답을 원하고 있는 사람들. 평범하다는 게 마치 소속감이 되는 거라면, 우리는 평범하다는 단어의 의미를 잘못 알고 있는지도 모르겠다.

평평할 평平에 무릇 범凡.

.

.

.

무릇 평평한 사람은 무언가 품어줄 수 있는 사람이다. 낯선 길 하나, 사람 한 명도 마음에 들이기 어려운데도 불구하고 말이다.

나는 누군가에게 낯선 사람일지도. 또 비슷한 사람일지도 모르겠지만 시선에 의해 생기는 상처, 그것에 대해 바라보는 또 다른 시선을 가져본다.

평범하고도 따뜻한 사람과 조금은 다르고도 용기 있는 사람이 섞여있는 이곳. 우리는 조금은 낯설게, 또 어쩌면 낯익게 익어갈 수도 있겠다.

연서

한참 당신과 같은 글자를 뒤척이다 잠이 들었다. 동이 트고 당신을 띄우는 일. 당신의 붉은빛 뺨에 노을을 맞추는 일. 그러다 밤이 되면 연약한 갱지 위 당신을 감히 수놓는 일이었다.

야경

요즘 들어 차분해지고 싶다는 생각이 들었다.

누군가를 비춰줄 수 있는 야경 같은 사람.

나에게도 야경 같은 사람이 있었다.

딸기 맛 사탕. 병원 침대에서 혼자 놀던 아홉 살 꼬마에게 쥐여준 다정함이었다. 어른이 되고 나서도 여전히 기억하는 걸 보니, 우린 누군가의 작은 다정함으로 살아가고 있었다.

나이가 들었다고 하는 게 이런 것이면 좋겠다. 다정함을 삼켜 너 큰 다정함을 나눌 수 있는 것. 그렇게 다정한 눈빛을 가진 야경이 되어가고 싶었다.

이름 없는 별들

dear stars, unnamed stars

지워낼 수 없는

유채꽃 떠올리는 것을 좋아한다. 바람이 거세게 몰아댔어도 오히려 흩날리는 노랗고 작은 것들은 냄새를 퍼트려댔다. 꽃이 피는 시기가 아니었음에도 불구하고 여름이면 겨울이 생각나듯 그렇게 꽃처럼 누군가를 떠올린다.

그 애의 입술을 좋아했다. 듣기 좋은 말보다 솔직하게 말하는 입술에 은근슬쩍 초점을 맞춰버리곤 했다. 또 먹는 걸 무척이나 좋아했다. 같이 식당에 앉으면 입이 짧은 나의 음식까지 책임져주던 모습에 항상 웃음이 니고 말았다. 그 애의 입술을 물어버릴 만큼 참 사랑스러웠다. 어디에든 입을 맞대고 있다가 어디서도 지워 낼 수 없을 만큼.

파도의 습성

파도는 다신 오지 않을 듯 뒤로 사라졌다가 발목을 뒤덮곤 했는데 마치 누군가 그리웠다는 듯이 세차게 덮쳐왔다. 본디 나에게도 되돌아오는 습성이 있었는데, 되돌아오는 것들이란 모두 당신을 덮쳤다.

소낙비

갑자기 비가 내렸다.

내 소중한 것들도 그렇게 내렸다. 꼭 그렇게 예고 없이 찾아왔다. 뒤늦게 우산을 펴도 이미 몸을 흠뻑 적신 후였다. 그렇게 비가 그치고 나면, 마치 아무 일도 없었단 듯이 떠나버렸다. 꼭 그런 것들은 소중하던데. 내 소중한 것들은 자꾸 떠나고, 나는 홀로 저 지나가는 사람, 사랑 같은 것을 하염없이 세고 있었다.

분명 내 발목 언저리를 적시던 비는 그쳤다. 빗물로 그을렸던 날씨도 기어코 화창을 되찾았지만, 코끝이 시리도록 비 냄새가 났다.

이곳은 여전히 내가 사랑하는 것들이 내리기도 했다.

독백

어깨를 내어주고 싶은 사람.

너를 생각하면 어떤 사람이 되고 싶었다.

오후에 찾아오면 잔잔함을 삼킨 사람이.

새벽에는 어슴푸레 이유를 묻지 않는 사람이.

글을 쓰는 사람이라 작은 시집이 되고도 싶었다.

아무 페이지를 열어대도 삼키고 싶은 문장같이.

사랑의 크기를 단정 지어 말할 수가 없어서 사랑한다

보다 더 클만한 표현들을 보탠다.

이렇게 만이라도 적고 싶은 내 마음을 너는 알까.

나는 너를 위해 무언가 되고 싶은 사랑을 한다.

저물어 가는 꽃

코흘리개 시절, 조그마한 유채꽃이 어찌나 고왔던지 뜯어버리고 만 적이 있다. 이내 오늘은 당신을 맞닥뜨렸다. 뜯을 수조차 없는 아름다움이라 결국 나를 뜯어내어 당신을 꽃으로 피어나게 하고 만다. 이것이 아니고서야 어찌 읊을 수 없는 것이다. 애절한 사랑이란. 당신의 형상을 피어나게 하고 나는 속절없이 지고 마는 것.

술의 증상

K는 그녀를 잊기 위해 술을 들이켠다고 내뱉었다. 혀끝의 아린 감각이 제법 익숙해질 무렵, K는 더욱 밀려오는 그녀에게 전화를 걸었다고 했다. 후덥지근한 기운에 정신마저 흐려지고 결국에는 몸도 제대로 가눌 수 없게 되고 마는. 이따금 겪은 술의 증상은 그러했다. 뜨겁던 연애에 정신을 차리지 못하고 결국 숙취와도 같은 이별에 몸을 제대로 가눌 수 없게 되고 마는. 마치 사랑은 술의 증상과 같았다.

사랑을 멀리 보내면 보낼수록 나에게로 되돌아왔다. 그리웠던 누군가의 온도. 결국 되돌아오는 누군가를 끊지 못하기도 했다. 내게 드리워지는 증상이 그러했다.

눈꽃

사랑에 따라 계절이 바뀔 수도 있었다고. 그런 낭만 같은 말들을 적어본다.

조금이라도 밖에 있으면 귀 끝이 시린 날이었다. 추운 것에 약해서 얼굴까지 두르고 싶은 목도리를 항상 지니고 다녔다. 겨울엔 감각들이 예민한 탓에 어쩌면 감정까지 다 덮고 다녔을지도 모르겠다. 그러다 꼭 맨손으로 만지고 싶은 무언가가 내게 처음으로 생겼던 것 같다.

그 조그맣고 하얗던 겨울. 겨울을 닮은 사람을 만났다. 그래서 추운 날임에도 불구하고 잘 가라는 말마저 일렁였다. 손끝이 얼얼해도 바깥 눈을 꼭 손으로 만지고 싶던 것처럼. 내리는 눈에 또 보자는 말을 숨겨놓은 것이 분명했다. 눈이 온다는 말이 이렇게 설렐 수도 있을까.

하나, 사랑하던 겨울. 하루종일 내렸으면 좋겠던 그 눈은 봄을 피하지 못해 아스라이 녹아버렸다.

눈을 녹여버린 스산스러운 봄이 왔다. 손끝은 더 이상 얼얼하지 않아서 감각조차 필요 없었다. 이미 무엇 하나 붙잡을 수 없어서. 더 이상 눈은 내리지 않았지만 나는 아직 당신이 시리기도 했다.

그렇게 유난히도 짧았던 겨울. 그것에 나는 여전히 얼어있었다. 내 손에 내리던 눈꽃 같은 사랑 하나 잊을 수 없었다.

수많은 밤과 당신

수많은 밤은 누군가였다. 이윽고 조명마저 아련한 이 밤도 당신을 가리킨다. 아득히 까만 것은 당신을 그리기 위함일지도 모르겠다. 그렇게 밤은 함부로 무언가를 그리워했다.

하지만 당신은 밤이 될 수 없었다. 시간이 지나도 여전히 뚜렷한 까닭에 쉬이 어둠으로 번지지 않는 것이다.

밤과 같이 져도 다시는 뜨지 않을 당신아, 너의 자국을 찾으러 이 밤을 연거푸 뒤집어써야 한다. 여전히 내 이불 속은 당신을 끌어안고 있었다.

내가 만약 달이 된다면

지금 그 사람의 창가에도

아마 몇 줄기는 내려지겠지

김소월 <첫사랑>

내게 몹쓸 버릇이 있다면 아마 이것이라서.

쉽게 줘버리는 감정 같은 것들.

천천히 다가왔다기엔 숨이 찰 만큼 갑작스러운 것들이 있다. 나는 그게 누군가의 손을 잡는 일이라고 생각했다. 아닌 척하지만 때로는 미친 듯이 누군가 나에게 뻗는 그 무언가를 잡고 싶어서.

한여름 밤, 그 아이와 좁은 길을 걷다 손끝이 스쳤다. 머리에 뭐가 묻은 것도 아닌데 괜스레 너는 내 머리칼을 만져보고.

사실, 좁은 길이 아니었다는 것쯤. 그 태연한 손길에 아무렇지 않은 척하면서 끌렸다는 것쯤. 알고 있었다.

관심의 크기가 같을 수는 없어서.

한데 같을 수도 있어서.

나는 너의 손길 어딘가를 서성이고 만다. 우연이 계속되면 인연이라던데. 나에겐 한 번의 우연조차 어려웠다.

크기와 상관없이 생겨난 다정을 말려놓기도 했다. 누군가에게 주었을 감정이 하나둘씩 늘어나는 걸 보면, 때로는 말려놓아야 더 아름다운 것들이 있었다.

내가 아는 것은 누구나 다 알 수 있지만, 이 마음은 나만의 것이라고. 젊은 베르테르의 슬픔 중, 한 구절이 머리를 스쳐 지나간다. 아무도 모르는 나만의 것이었다.

갑작스러웠다는 이유 하나로 나는 조금씩 너의 손 같은 걸 떼어다 계속 생각해 본다.

그렇게 갑작스럽게 다가와서 더 잡고 싶은 것일까 봐. 가끔은 남몰래 떠올려본다. 어쩌면 스쳐 지나가는 것 하나까지. 내 손은 자꾸 그런 걸 잡아 버린다. 그 어느 하나도 버리지 못해서.

햇살 꽃 냄새

잠을 자려 몸을 누이면 오늘도 어김없이 머리맡에서 냄새가 난다. 은은한 햇살 꽃을 닮은 냄새. 킁킁거리며 베개에 얼굴을 묻어도 어디에서 나는 것인지 알지 못했다. 결국, 그 냄새에 이끌리듯 몰래 잠이 쏟아졌다.

그러다 꿈을 꾸었다. 잊히지 않을 그런 꿈. 마치 햇살처럼 당신이 쏟아졌던 것 같다. 그래서 나에게 쏟아지는 것들은 모두 당신을 아련히 가리켰다.

베개 위에 몸을 뉘여도 쏟아지는 것은 더 이상 잠이 아닌 당신이었다. 쉬이 잠이 오지도, 그렇다고 당신이 오지도 않았지만 이 냄새에 당신이 베여있다는 이유를 붙들곤 매일같이 한 모금, 폐부 속까지 당신으로 에우고 만다.

문득, 향이 나면 떠오르는 대상이 있다는 말이 떠올랐다. 오늘도 눈을 감고 당신을 생각하면 햇살 꽃 냄새가 쏟아졌다. 어쩌면 향은 누군가를 꼭 끌어안으려 나는지도 모르겠다.

아무도 모르는

바람은 흔들렸다. 마냥 불어대다가 저 잎새까지 흘려 버렸다. 그때 알았다. 모든 것이 돌아오지 않았다고. 바람은 울어댔다. 저 꿈꾸지 않는 잎새를 향하여. 그저 나는 떨어진 그것을 하염없이 쳐다 볼 수밖에 없었다. 오늘 밤에는 무엇인가 불어댔는데, 바람이 울어댔는지 내가 울었는지 모를 만큼이었다.

그리움을 내려 당신을 울리는 일

오늘의 시는 울었다. 내가 옮겨 적는 것들은 그러했다. 나에게 멈춰있는 장면이었고 당신께는 전하지 못할 그리움이었다. 이들은 나를 흠뻑 적시고 말았다. 허나 이 시는 당신을 울릴 수 있을까.

'사실은 내가 쓰려고 쓰는 것이 시이기보다는 쓸 수 없어서 시일 때가 있다.'라는 구절을 기억한다. 2년이 넘도록 글을 옮겨 적고 있지만, 타이핑을 시작하면 도통 타자 소리는 나지 않았고 무언가를 옮겨 적는 일은 항상 어려웠다. 쉽게 쓰이는 것은 무엇 하나도 없었다. 나에게 쓸 수 없던 것을 옮겨 적고 싶었기 때문이다.

내가 적는 것들은 대개 울고 있었는데, 나이가 들수록 사랑보다 슬픔이 커진다는 말을 들어보면 덜컥 늙었다는 말이 실감 났다. 그래도 가끔은 사랑이 앞지르

길 바란다. 사랑해서 슬플 줄 아는 그런 소중한 슬픔일 테니. 오늘 내가 사랑하는 것들도 무엇인가 쓸 수 없을 만큼 슬펐을까.

나는 이제 너에게도 슬픔을 주겠다.

사랑보다 소중한 슬픔을 주겠다.

정호승 < 슬픔이 기쁨에게 >

위로

장마가 짙은 어느 오후, 자박하게 소리를 내며 모든 것들이 비에 젖어간다. 발소리를 닮은 이 빗소리는 살아가는 모든 것들이 내는 소리가 분명했다.

기약 없는 이별

아무렇지 않은 척하고 싶은 날이 있다. 별다른 이유이고 싶지 않은 기분. 그럴 때면 집으로 돌아와 방문을 걸어 잠그곤 몰래 한숨을 뱉었다.

사실은 요즘 당신을 닮은 것들 투성이었다. 뭘 그렇게 많이도 같이 다녔는지. 기약 없는 사랑을 약속하던 당신이 생각나 허전하기도 하다가, 아직 나는 혼자 기약 없는 이별을 하고 있었다.

어릴 때도 무언가 하나를 보내는 데 오래 걸렸던 것 같다. 여름 방학 숙제로 고마운 사람들에게 문자 보내기가 있었는데 고맙고 사랑해요,라는 말 하나가 성의 없어 보이진 않을까 연거푸 고쳐댔고 결국 하루가 지나고 나서야 문자를 전송했다.

이번에도 당신을 보내는데 꽤나 오래 걸릴 것 같다.
내 감정이 어리석고 둔한 미련을 부리는 걸까.

숨은 들이마시고 내쉬는 것까지를 말한다. 헤어진 당신이 늦은 밤까지 생각나는 것처럼, 그렇게 만나고 헤어지는 것까지도 사랑이었다.

쫓고 쫓기는

남산타워는 생각보다 멀리 있었다. 눈에는 자꾸 보이는데 거리가 좁혀지지 않아 한참 동안 걸어야 했다. 가까이 두려 애를 쓰면 오히려 멀게 느껴졌다. 눈에 보이지 않는 거리를 만들고 있던 것이다. 그렇게 나에게도 멀리 있을 땐 이유 없이 대단해 보이던 것들이 몇 있었다.

살다 보니 사랑, 행복 이런 것들은 생각보다 멀리 있었다. 움켜잡으면 홀연히 달아났다. 원체, 그런 것들과 먼 곳에서 태어난 것 같았다. 뭐랄까, 꿈이라 부르는 단어들은 나에게 꽤나 지나쳤다.

잠이 들면 행복한 꿈을 꾼 적이 없다. 울고 있거나 화들짝 놀라 깨버리는 일들이 부지기수였다. 황급히 누군가에게 쫓기듯 눈을 뜬다. 마침내 눈을 떠도 마찬가지였다. 어느새, 나를 위해 좇던 것들이 결국 나를 쫓고 있었다.

1. 어떤 대상을 잡거나 만나기 위하여 뒤를 급히 따르다.
2. 어떤 자리에서 떠나도록 몰다.

나는 이 둘 사이에서 뒤섞인 것이 분명하다. 이 지나친 사랑, 지나친 행복. 좇아선 안 된다. 그래서 나는 멀리 숨 쉬던 저 행복을 몰아낸다. 어느 넘실대는 바다를 건너지 않아도 잔잔한 물결을 사랑하도록, 자라나는 꽃잎 하나에 대단한 이유를 만들지 않도록.

그것이 내가 좇는 것들에게 잠식되지 않는 유일한 방식이었다.

해가 지는 곳으로

누군가 떠났다. 허전한 냄새가 코끝을 찔러댄다. 빈소殯所에 거뭇한 이들이 한 데 자리를 채워도 저기 떠나간 누군가의 자리를 메우지 못한다. 씁쓸하다. 이 단어야말로 저 빈소를 채우고 있었다.

빈소貧素

.

.

.

같은 단어지만 가난하여 아무것도 없음을 의미한다. 난 이것이 퍽 다르지만 똑같이 보였다. 또 이 허전한 냄새가 코끝을 찔러댔다.

세상은 가난했다. 아무것도 보지 않았다. 보기 어려운 광경에는 눈을 가려댔다. 저 억울히 다친 이 하나, 죽어가는 자 하나 모른다 한다. 나는 그사이에 섞여 있었고 이윽고 나는 냄새는 참으로 가난했다. 모른 척하던 그 모든 것에게서 나는 냄새였다. 또 해가 지는 걸 보니, 이름 모를 누군가 떠났을지도 모르겠다.

나는 해가 지는 곳으로 검은빛을 띄워 보낸다. 이제는 이 지독히 가난한 냄새가 나던 향을 꽂아 이름 모를 누군가를 피워대는 법을 안다.

봉숭아 물빛

아스라이. 나는 아스라이 사라지는 것을 좋아한다. 해질 녘 살굿빛 노을과 같은 아련한 냄새란. 내가 사랑하던 모든 것의 마지막 숨소리.

그 숨소리를 들이쉬면 꼭 복숭앗빛 미열이 쏟아졌는데, 저 말 없이 떠나간 자들이 퍼붓는 키스였다.
또 아스라이 무언가 나에게 뉘엿거린다.

시민

추모와 시위가 길을 따라 놓여 있는 곳, 광화문. 우리는 어쩌면 가보지 못했어도 한 번쯤 이 길을 걷고 있는지도 모르겠다.

잠깐을 서 있어도 추웠던 겨울, 팻말을 들고 서 있는 한 사람이 보였다. 자신의 아들. 억울한 죽음. 그리고 바쁘게 움직이는 사람들.

소중한 사람의 죽음은 너무 많은 걸 바꿔 놓는다. 턱 끝까지 차오르는 상실감. 그걸 병처럼 내뱉어야만 하는 공허함. 그들 가운데 억울함이 낄 여유가 없는데도 불구하고 누군가의 아버지는 억울했다.

손은 또 얼마나 차실까. 가야 했던 발걸음을 잠시 뒤로했다. 따뜻해 보이는 음료 몇 개. 내가 할 수 있는 일이라곤 고작 그것뿐이었다.

“아버님, 시민분께서 힘내시라고 드리는 커피래요.”

그는 나를 보시더니 안아주셨다. 짧지만 부녀 같은 대화를 나눴고 난 되레 울컥하는 감정을 지울 수 없었다. 선명한 수염 자국. 따뜻하던 눈빛. 마스크를 쓰기 전 일이라 전부 눈에 담을 수 있어 다행이었다.

여유가 없다고 생각하면서 살았는데, 잠깐의 대화. 그것만으로도 충분했다. 그날, 나는 시민이 되었는지도.

외로움 한 줌

혼자 남겨진 기분. 호흡을 크게 들이쉬고 그런 감정에 대해 생각해 본다. 쓸쓸함, 불안함, 외로움. 이러한 감정을 떠올리는 걸 보면 부단히 혼자라는 정의에 대해 부정적이구나 싶었다.

단순히 물리적으로 어떤 공간에 혼자 있어서가 아닌 혼자 있는 듯한 기분, 외로움이었다. 누가 가장 무서운 게 뭐냐고 묻는다면 아무것도 생각할 수 없을 때일 테다.

바쁘게 무얼 좇는 사람은 시간에게서 외로움을 느낀다고 했다. 남는 시간이 싫고 두렵다고. 그렇게 몸과 마음은 서로 이어져 있기도 했다.

외로움과 사랑은 사람을 이어놓는다.

누군가를 소홀히 여기게 되진 않을까 생각했던 걸 보면 혼자가 아니었다. 어쩌면 외로움을 갖고 태어나서 우리는 혼자가 아니지 않을까.

그래도 만약, 물리적으로 이 세상에 혼자 남아있어도 나는 햇살 한 줌, 파도 한 알까지라도 사랑했을 거라고. 그렇게 있는 힘을 다해 사랑할 거라고.

민낯

이른 아침에 사과를 베어 물었다. 새파란 향에 아직 뜨이지 않던 눈을 비비적거린다. 그러다 무심코 어린 사과를 쳐다본다. 아직 덜 익은 냄새. 한 번 더 두 눈이 슬며시 감긴다. 다음번에 꼭 지그시 익어 달콤한 냄새로 물든 새빨간 사과를 한 입 베어 물기로 한다. 끝내 다 익은 냄새가 살랑 코끝을 간지럽혀댄다.

그러고 보면 주변에는 사과보다 더 예쁘게 물들었을 시간들이 존재했다. 물들어 가는 것만큼 낭만스러운 시간이 또 있을까.

지고 나서야 물드는 사랑이 있다. 점심시간에 몰래 찾아가 편지를 넣어뒀던 첫사랑. 소란하지 않게 마지막일 것 같던 사랑. 폭 상냥히 물들어있었다.
마치 영화 대사처럼.

CELINE:

Really? I vaguely remember someone sweet and romantic, who made me feel I wasn't alone anymore. Someone who had respect for who I was.

정말? 나 아련하게 그 사람을 기억해. 달콤하고 낭만적인 그 사람. 내가 더 이상 혼자로 느껴지지 않게 만들어주고, 나를 있는 그대로 존중해 준 그 사람.

- Before Midnight (2013) -

시선

왜 이리 예쁘게 걸어오느냐는 당신의 말을 들었다. 걷는 순간마저 그런 사람이었을까 나는. 순간, 꽃을 받은 것도 아닌데 손에는 꽃이 들려 있었다.

스치는 발걸음까지 어디서든 주시하고 있던 사람.
그런 그늘 같은 사람의 시선을 따라가 보고 싶었다.

시선을 배울 수 있는 사람이 있다는 건 정말 흔치 않았다. 그런 사람은 자신도 모르게 다른 사람의 시선까지 바꾸게 하는 사람이지 않을까.

외국 가면 진짜 인사를 많이 하잖아. 그때 느꼈던 게, 내가 굿모닝의 기분이 아니었는데 상대가 굿모닝을 하 길래 나도 굿모닝을 하다 보니까 나도 굿모닝이 되는 거야.

유해진 < 스페인 하숙 >

그렇게 한 마디에 굿모닝이 될 수도 있어서.

작은 시선에서 꼭 살아가고 싶은 하루를 배워간다.

생각하고 싶은 그 무엇

널 보자마자 왠지 꼭 아는 애인가 싶었다. 보자마자 익숙해지고 싶은 사람이 있었나 보다. 아마 나는 너를 그렇게 사랑하고 싶었다.

멈춰야 보이는 장면들이 있었다. 까맣던 밤이 열어져 낮에 볼 수 있는 구름까지 볼 수 있던 순간. 아마 나는 앞으로 이런 장면들을 보면서 널 떠올릴 거라고 확신했다.

너는 계속 생각하고 싶은 그 무엇이라고. 이런 게 사랑이라면 사랑이라는 말을 적지 않고도 나는 너를 적어 내릴 수 있었다고.

미소 sonrisa

리사 게라르디니Lisa Gherardini.

.

.

.

우리에게 친숙한 눈썹 없는 여인, 모나리자의 본명이다. 모나리자의 모나는 유부녀에 대한 경칭. 리자는 그녀의 이름. 그녀의 이야기를 잠깐 적어본다.

당시 미술가 레오나르도는 리사의 남편을 위하여 리사의 초상화를 그리기로 한다. 지금껏 우리는 알 수 없던 그 미소. 바로 사랑하는 남편을 향해 띄고 있던 것이다.

이 미소는 색과 색 사이 경계선 구분을 명확하지 않고 부드럽게 처리하는 음영 법인 '스푸마토sfumato' 기법으로 그려졌다고 한다. 흐릿한, 자욱한 이라는 뜻의 이탈리아어 '스푸마레sfumare'에서 유래된 단어이다. 레오나르도는 붓질을 겹겹이 겹쳐 올려 이 부드러운 미소를 만들었고 사랑의 미소를 머금은 여인은 이렇게 탄생했다.

하지만, 이 작품은 4년이 걸리고도 미완성인 채로 끝나버렸다. 그는 미완성마저 오늘날의 걸작으로 승화시킨 것이다.

어쩌면 우리의 사랑 또한 그렇다. 때로는 의도치 않은 말로 상처를 남기곤 한다. 배려와 염려의 기법을 구사하지 못한다. 때로는 속상한 일로 불쾌함을 뱉고, 질투와 집착 사이에서 소유욕을 퍼붓기도 한다.

처음과 달리 의도치 않던 색이 생긴다. 그러나 이것을 깨닫고 '서로'라는 것을 배운다. 그렇게 아울러 그려가는 그림에서 수많은 붓질이 남겨진다. 미소가 되어가는 것이다. 여전히 서툴러도 말이다. 사랑은 미완의 작품이다.

잘 자라는 말 My favorite thing

꽃마저 화창한 날이다. 스무 살이 엊그제 같은데 벌써 졸업이었다. 제일 나이 든 졸업장을 손에 얹고 또 끝을 보낸다. 그러고 보니 항상 끝엔 당신이 묻어나 있었다. 잘 자라는 당신의 다정한 연락으로, 오렌지빛 노을 같던 어느 해의 마지막도 말이다.

꽃다발을 손에 쥐고 있으니 퍼뜩 생각난다. 그날은 당신이 내가 제일 좋아하는 꽃을 들고 서 있던 날이었다. 사실 그 연분홍색보다 겨울로 빨갛게 물들었던 손이 눈에 더 들어왔다. 아마 누군가의 손을 그렇게 잡고 싶던 적은 없었던 것 같다.

그래서 지금 쥐고 있는 게 조금은 그을린 너의 손이었으면 좋겠다. 불안하던 이 손을 조심스럽게 잡아줬던 날처럼 말이다. 무언가 끝이 나면 언제나 허무함 같은 것들이 흐트러지던데. 당신만큼은 후회하고 싶지 않

았다. 그냥이라는 말을 핑계로 모든 끝에 함께 있어
주었으면. 당신이 내쉬는 고운 숨결만큼 좋은 꿈 꾸
어주었으면.

눈길

내 눈길이 어느 곳에선가 물드는 일을 좋아한다. 너에게 시선 한 번 닿는 일. 그래서 내 눈길이 너로 물들여지는 일. 어렴풋이 또 너일 것을 나는 안다.

짧은 소설 小雪

오랜만에 봄이 왔다. 회색 같던 사람이 또 봄을 느꼈다. 어울리지 않는 봄 같은 감정이 아지랑이 올라오기도 한다. 나에게도 정말 그런 녀석들이 가끔 피는 걸 보면, 나는 어느 조금 늦게 찾아온 봄인 사람일지도 모르겠다.

이젠 별을 볼 수 있었다

peace come for twinkle, at last

눈 맞춤

눈을 맞추는 습관이 있다. 적어도 내 눈은 다정함에 쏟아지고 싶은 것이 분명했다. 달빛이 강물에 넌지시 걸려 있는 일. 그 빛을 닮은 당신이 내려앉은 일. 그렇게 오래도록 눈에 눈을 맞추고 싶었다.

행복은 입맞춤과 같다. 행복을 얻기 위해서는 누군가에게 행복을 주어야만 한다.

-디어도어 루빈theodore Issac Rubin-

유채꽃

좋아하는 일이 시간에 따라 달라지기도 하다가 무심코 사라져가는 걸 보니 덜컥 나이가 들었다는 게 실감 났다.

흩날리는 유채꽃을 좋아한다. 좋아하는 것들은 해와 달의 모양새가 흘러가면서 전부 바뀌는듯했는데, 나에게 꽃 냄새란 시간이 지나도 변치 않는 것 중 하나였다. 이 노랗고 작은 것들은 시간 사이에서 자꾸만 흐려지는 나를 지켜주는 걸지도 모르겠다.

괜스레 꽃밭에 누워 있는 상상을 하다가
흩날려오는 냄새에 홀린 듯 눈을 감아보기로 한다.

꽃들은 쉽게 피어나지 않는다. 햇살 한줄기, 물 한 모금마저 절대 순탄하지 않았다. 언제 꽃이 피는지조차 아무도 알 수 없었다. 오직 기다려야 한다.

다시 눈을 감으니 삶의 냄새가 났다. 그윽하고 깊은 냄새. 누군가를 사랑하던 순간도, 슬펐던 순간도 모두 당신이 피어나려는 순간이었다는 걸. 몇 개의 계절을 수도 없이 넘은 당신을 나는 안다.

그렇게 몇 개의 슬픔과 기쁨 속에서 사랑하는 일. 이것이야말로 살아가는 것이었다. 나는 살아가는 냄새, 그것에 눈을 감는다. 꽃 같은 삶 하나 두고 갈 수 없어서.

근원에 대해

시침 소리가 점차 예민하게 굴어대다 자기 세상인 듯 밤을 휘젓고 다니면, 이때다 싶은 불면증이 기어코 나를 쫓아낸다. 자연스레 잠에 들지 않으면 과거를 찾았다. 옆으로 몸을 돌리고 허리를 굽혔다. 나도 모르게 취하는 자세였는데, 태아는 산모의 뱃속에서부터 쭈그리던 자세를 기억하고 있어서 태어나서조차 자신도 모르게 몸을 웅크린다고 했다.

하얀빛이 들어오자 손가락이 시간을 거슬러 올라가 보기로 한다. 그땐 잘 나왔다고 자부하던 사진을 아무리 뚫어져라 쳐다봐도 왜 그렇게 생각했는지 도저히 알 수 없었다. 손가락은 급히 삭제 버튼을 가리키며 바빠졌고, 안도의 한숨은 누군가 보지 못해서 정말 다행이라며 동감을 표시하기도 한다. 거슬러 올라간 시간은 참 편안했는데, 예민하던 시침 소리는 더 이상 들리지 않았다.

주위가 어두워지자 나도 모르게 몸을 더 웅크린다. 그리고 웅크린 몸으로 거슬러 올라가는 것에 대해 생각해본다. 연어는 자신이 태어난 물의 냄새를 기억해낸다고 한다. 알을 낳을 때면, 그 냄새를 더듬다 일생에 단 한 번 알을 낳고 태어났던 물로 돌아가는 것이다. 나는 그 강이 참으로 따뜻하다고 느꼈고, 어느 순간 눈을 감고 아침으로 향하고 있었다.

그렇게 매일을 처음과 끝 사이에서 돌아왔다. 이젠 잠에 든다는 게 더 이상 불안하지 않았다. 어젯밤, 나는 처음으로 돌아가려는 연습을 했던 건지도 모르겠다.

되돌아오는 것이란

물건을 잘 잃어버리는 편이다. 손아귀에 힘이 없어서 어느새 정신을 차리면 무언가 없어지기 일쑤다. 덕분에 잃어버린 것들이 한둘이 아니었다.

그러다가 결국, 나는 누군가를 잃어버리고 말았다. 이번엔 손아귀에 힘을 너무 쥔 탓이었다. 다시는 사랑의 형상을 따라 한 것들을 움켜잡지 말아야지. 또, 다시는 누군가에게 나를 꺾은 싱그러운 꽃을 쥐여 주지 말아야지 다짐해도 결국 잃어버린 것들은 되돌아오지 못했다. 그 뒤에 불어오는 바람 하나조차도 잡을 수 없었다.

불현듯 내 손에 돌아오는 것들이 있다면 가끔 바람이 조그맣게 불어왔다. 다시는 너를 닮은 모든 것들을 그리워하지 말아야지 부르짖던 목소리였다.

이름 없는 사람들

나이가 들수록 저 누군가를 부르는 일이 잦아졌다. 어쩌면 다른 사람들에게만 슬퍼하던 이름 없는 내 삶과도 같았다. 진정, 나는 줄어든 것이 분명했다.

쓸모있는 인간의 기준

초행길에 길을 잃었다. 잠시 쉬려고 자리를 둘러보다 인적 드문 곳을 찾다 보니 어느새 햇빛이 닿지 않는 조그마한 강기슭이었다. 항상 사람들의 소리로 북적대는 서울의 한강과는 확연히 다른 구색을 갖추고 있었다. 쾌쾌한 냄새가 배어있었지만, 어쩐지 내 발자국은 안개 사이에 서 있는 이곳을 좋아했다. 어디선가 바람이 이는 쪽으로 몸을 돌렸는데, 그곳엔 이름 모를 꽃 하나가 살랑이고 있었다. 누군가 보기 좋기 위해 엉겨 붙은 꽃들과는 달랐다. 강기슭이 쓰다듬던 꽃은 사람들의 손길이 닿지 않아서 아무도 뜯어내지 않았다. 그날 이후, 하루 종일 그 이름 모를 꽃 하나가 나에게로 살랑였다.

그러고 보니,

나에게도 강기슭의 냄새가 났다.

화창한 사람의 냄새와는 달랐다.

가끔, 보통의 존재가 아닌 것 같은 짙은 우울함이 나에게로 밀려온다. 진흙탕을 벗어나 쓸모 있는 존재가 되고 싶었는데, 이젠 그 사이로 이름 모를 꽃 하나를 가슴에 대어 안을 수 있었다.

병, 矛盾

살구나무 그늘로 얼굴을 가리고 병원 뒤뜰에 누워, 젊은 여자가 흰옷 아래로 하얀 다리를 드러내 놓고 일광욕을 한다. 한나절이 기울도록 가슴을 앓는다는 이 여자를 찾아오는 이, 나비 한 마리도 없다. 슬프지도 않은 살구나무 가지에는 바람조차 없다.

나도 모를 아픔을 오래 참다 처음으로 이곳에 찾아왔다. 그러나 나의 늙은 의사는 젊은이의 병을 모른다. 나한테는 병이 없다고 한다. 이 지나친 시련, 이 지나친 피로, 나는 성내서는 안 된다.

윤동주 <병원>

세상은 모순투성이다. 어딜 가나 마찬가지였다. 한 번은 산책하러 걸음을 나섰다. 사람들이 북적이는 쪽으로 걸음을 옮기자 말소리가 들렸다. 늙으면 죽어야지. 늙은 누군가 힘차게 몸을 움직이며 입버릇처럼 내뱉었다. 나는 무언가 잘못되었지 싶었다.

생각을 다물고 발을 뗐다. 전광판에 한 연예인이 자살했다는 뉴스가 나왔다. 더 밝아질 별 하나가 순식간에 떨어졌다. 분명 자살이라고 쓰여 있었는데, 자살이 아니었다. 무언가 한참 잘못되었지 싶었다. 그날은 모든 게 모순투성이였다. 나는 서둘러 돌아와 문을 걸어 잠갔다.

문밖, 셀 수 없는 사람들이 있다. 아무것도 하기 싫다고. 더불어 그냥 행복해하고 싶다고 염려한다. 이 지나친 행복과 사랑을 찾다 무언가 지나친 사람이 되어

누워있었다. 이유 모를 병을 시름 대며 앓고 있었다.

어제보다 세상은 작아졌다

밤에 내려다보는 서울은 아찔했다. 죽은 것과 산 것이 한데 엉켜있었다. 이 틈에 아스라이 세상에도 별들이 걸쳐있었다. 작을 땐 수만의 거리를 둔 별들을 보며 웃었는데, 커서는 쉬이 올려다보지 못하는 탓에 옆으로 고개를 돌린다. 그러다 누군가 품은 별 하나 볼 수 있었다. 그날따라 유난히도 작은 것들이 불어댔다. 이제 막 걸음을 뗀 아이의 고른 숨소리, 삶을 이고 가는 한숨 같은 것들이었다. 살랑이던 저 작은 것들은 그날 내가 세상에 머금은 별 하나였다.

Phobia

잊히겠지 한마디가,

병처럼 나를 괴롭혀댔다.

나를 좀 먹는 생각

관계를 단정 짓고 말하는 게 너무 어려웠다. 선을 그어버리는 짓. 누군가를 사랑하지 못하면서 살아가도 될까. 그렇게 숨을 참아가며 애써 괜찮은 척해도 되는 걸까. 어쩌면 흙과 자갈들이 한 데 섞여버린 토사 같은 것이 되는 건가.

아니면 너무 좋게만 살아가려고 하는 걸까. 시간이 지나면 좋은 것만 기억하는 좀먹는 것이 되어도 될까. 감히 또 나를 갉아먹는 해로운 사람이 되어도 괜찮을까.

감기

오늘을 이겨야 삶이 된다고 했다. 가끔 무기력 같은 녀석이 한사코 넘어올 때가 있는데, 분명 아무렇지 않게 넘어가도 될 반복이 몹쓸 버릇이 되기도 한다.

긴장하면 머리칼을 넘기는 버릇이 있다. 그렇게 몸에 익어버린 행동처럼 마음에도 어느새 익숙하게 넘어오는 감정들이 있었다.

흔히들 기분이 태도가 되지 않아야 한다고 말하지만, 마음처럼 되지 않을 때가 있었다. 마치 무기력 같은 태도는 진 것 같이 보여서. 두루 내 감정에서 소외시키곤 했다. 곪아버린다는 걸 모른 채 말이다.

그런 녀석들까지 소외시키지 않을 수 있을까. 이 무기력까지도 오늘이 마지막이라면 아무렇지 않게 넘어가도 될 반복이 아닐 텐데. 누군가 돌봐줘야 할 삶

일 텐데. 때로는 너무 가볍게 또 흔하게 생각하는 게

아닐까 하고.

여유를 만드는 사람

어디선가 나는 소리에 예민했다. 가끔 소음이라고 부를 법할 것들이 생기면 무언가를 듣는 것보다 읽고 싶은 일에 초점을 둔다.

잠시 예민하게 굴던 청각을 낮추고 눈을 뜨는 일. 어느 한쪽에 치우치지 않는 것은 나를 지키려는 습관이기도 했다.

내 생각은 정리보다 어지럽혀지는 쪽에 가까웠다. 나를 어지럽히는 생각을 이어 나갈 수도 없을 만큼 나열해 본다. 얽히고설켜 풀을 수도 없는 것들. 그러다 보면 너무 많은 생각들에 의해 진짜 생각해야 할 것을 잃어버리기도 한다. 마치 소음이 생기는 일처럼 말이다.

그런 소음에 익숙해지다가 여유가 오길 기다리게 되는 사람. 잠깐 그런 사람이 되었던 것 같다. 그럴 땐 생각까지 접고 무조건 문장으로 달려갔다. 그러다 보면 아무리 애써도 만들어지지 않았던 여유를 손쉽게 읽을 수 있었다.

여유가 오길 기다리는 사람과 여유를 만드는 사람.
혹, 우리는 가끔 이런 걸 놓치고 있는지도.

잊어버리고 사는 게 편하다는 말

종종 내가 무얼 입고 먹었는지 기억나지 않을 때가 있었다. 특별하진 않아도 일상을 겹겹이 포개어 얹어놓은 것들.

'어제 뭐 했더라.'

.

.

아무리 들여다봐도 도저히 생각나지 않을 때가 있었는데, 그럴 때면 잊어버린다는 게 얼마나 무서운 것인지 실감하곤 했다.

잊어버린다는 말에 나는 덜컥 잊어버리기 싫은 순간이 떠올랐다. 마지막 노을빛이 지는 순간. 그 짧고도 아련한 순간을 기억한다. 오늘이 마지막인 듯 져가는 노을은 또다시 볼 수 없을 누군가와의 이별을 닮은 것이 분명해서.

[잊어버리다]

1. 한번 알았던 것을 모두 기억하지 못하거나 전혀 기억하여 내지 못하다.

2. 기억하여 두어야 할 것을 한순간 전혀 생각하여 내지 못하다.

잊어버리고 사는 게 편하다는 말을 들었다. 그에 비해 나는 독하게도 마지막인 순간들을 잊어버리기 싫었다. 어쩌면 모순되게 좋아하는 것일지도 모르겠다고 생각했다.

그때의 그 감정. 내가 느꼈던 모든 온도를 잊어버린다는 것은 결국 나를 잃어버리는 것과 같아서. 언젠가 잊히겠지 한마디가 나를 괴롭혀댄다.

그래서 어제 뭐 했지, 라는 말을 습관적으로 내뱉었다. 감히 작은 것 하나 잊어버리기 싫은 탓에.

그래, 생각났다. 나는 어제 나지막한 오후에 편한 차림으로 카페에서 책을 읽었다. 커피를 기다리다가 새삼스럽게 사람 구경 같은 걸 하고. 결국 해가 돌아갈 때쯤 나도 작업을 마치고 집으로 돌아가 좋아하는 요리를 지어 먹었다.

일상을 겹겹이 포개어 놓은 순간 깨닫는다. 그 많은 것 중 정말 잊어버려서는 안 되는 것은 언제나 나였구나 하는 사실을.

용서하기 싫은 사람들

현관문을 열자마자, 시끄러운 소리가 귀 언저리를 때린다. 무슨 소리인가 싶어 안방으로 달려가니 드라마 속 주인공들이 무섭게 싸우고 있는 것이다. 이런 언쟁까지 보고 있는 걸 보면 얼마나 재미있나 싶어 자리를 잡고 처음 보는 드라마 한 편을 끝까지 보다가 결국 방으로 들어왔다.

옷을 갈아입다 생각해보니 나에게도 속 시원히 소리 지르고 싶은 사람이 있었다. 어쩜 저렇게 행동하는지 참으로 못났다 싶었다. 얄미운 사람은 끝까지 얄미운 걸까.

'너 진짜 맘에 안 들어.'

미운 사람을 보다 보니
어느새 나는 못난 사람이 되어있었다.

화火 1. 몹시 못마땅하거나 언짢아서 나는 성.

불화火는 타는 불을 의미하고 있기도 하다. 한 번 화가 치밀면 조절하기 어려운 이유가 여기서 드러난다. 하지만, 머리끝까지 끓고 있는 이 화火는 당사자도 아닌 바로 내가 받고 있다는 사실이다. 꽤나 난해한 문제다. 얄미운 사람에게 치밀어 오르는 이 감정이 곧바로 향할 수 있다면 얼마나 좋을까. 그래도 누군가를 질리도록 미워하는 일은 내가 못나지는 일이었다. 결국 이럴 때 나를 위해서라도 미워하는 그 누군가를 용서할 줄도 알아야 한다.

'용서해보기.'

한 번에 용서가 되진 않아도 용서해보기로 마음먹는 순간, 누군가를 향해 타던 불은 조금씩 가라앉기 시작한다. 미움을 돌려세워 용서해보는 일. 바로 나를 위한 일이다.

가장 많이 용서하는 사람은
가장 많이 용서함을 받을 사람이다.

-조시아 베일리Joshua Bailey-

조심하는 법

이곳저곳에서 데이다 보니 조심하는 법을 배웠다. 그것이 사랑이든, 사람이든 마찬가지다. 어느덧 조심하라는 말은 모든 것을 향해 뛰지 않는 법이 되었다. 특히 사랑은 더욱이 그러했다. 슬럼프라고 하는 덩어리가 내 어깨를 짓누르는 기분이었다. 뭐든지 피해 갈 때쯤 이 영화가 떠올랐다. 영화의 제목은 이프 온리 If only.

바이올린을 전공하는 로맨티시스트 사만다(제니퍼 러브 휴잇)와 자신의 일에만 몰두하는 성공한 젊은 비즈니스맨 이안(폴 니콜스)의 사랑을 다룬 이야기지만, 영화는 연인의 죽음을 되돌리기 위해 똑같은 하루를 반복해 살아가는 것에 초점을 둔다.

내용은 이러했다. 사랑을 꿈꾸는 사만다와 성공을 꿈꾸는 이안이 계속해서 어긋나는 상황. 사만다의 졸업

연주회가 있던 날, 둘은 저녁 식사를 하다 말다툼을 하고, 혼자 택시를 타고 가던 사만다는 교통사고로 목숨을 잃게 된다. 이안은 아무리 사만다의 죽음을 막으려 해도 실패한다. 결국 정해진 운명을 바꾸지 못한다는 것을 깨닫곤 사만다에게 최고의 하루를 선물하기로 한다.

이안은 사만다의 졸업 연주회에 가서 그녀가 지은 곡을 사람들에게 알리고, 매사에 자신감이 없던 사만다는 용기라는 최고의 선물을 받는다. 그리고 사만다가 죽기 직전 이안은 진심 어린 말을 남긴다.

"5분을 더 살든 50년을 더 살든 오늘 네가 아니었다면 난 영영 사랑을 몰랐을 거야. 사랑하는 법을 알려줘서 고마워. 사랑받는 법도."

사람에게 실수투성이였던 적이 있었다. 계속 물을 들이붓다 결국에는 넘쳐흐르는 잔과 같이. 흥건히 젖은 누군가는 떠나버렸다. 생각해보면 그땐 넘치는 사실도 모른 채 연거푸 물을 부어댔던 것 같다.

조심彫心 마음에 새기다.

.

.

영화의 엔딩크레딧이 내려가는 순간 깨달았다. 조심하는 법은 아무것도 느끼지 않고 피하는 것이 아니라는 것을. 사실 피하지 않는 것만으로 어깨를 짓누르던 그림자를 잘라 낼 수 있다.

우리는 가끔 스스로가 강한 사람이라는 것을 잊어버리곤 한다. 당신은 모든 걸 향해 뛸 줄 아는 꽤나 멋진 사람이다.

사랑의 습성

피어났다 지는 사랑은 반복될수록 작은 꽃 하나 피워 내기 애석하다. 맑은 날 하나, 애타는 품 하나에게 자리를 내어주는 것이다. 그것이 아무리 힘들다 하여도 당신을 그 어떤 날에 사랑하지 않을 수 있을까.

시계 보는 법

나는 무엇이든 잘 잊지 못하는 편이다. 그래서 아스라이 사라지는 새벽녘의 공기나 그걸 빚고 피어나는 꽃송이같이 남들은 보고 지나칠 법한 무언가를 잘 잊지 못했다. 어쩌면 고맙다는 말을 좋아하는 것도 다른 사람이 준 감정 하나 쉽게 잊을 수 없어서였다.

글을 쓰기 시작한 나를 위해 책 선물을 해준 선배가 있었다.

"나영이는 나영이란 이유만으로 충분하단다."

그 책 안에다 짧게 쓴 한마디가 얼마나 맴돌았는지 한동안 자기 전엔 그 문장을 잊지 못하기도 했다. 다른 누군가 심어준 마음은 나에게 유독 익숙해지지 않아서. 내 몸 어디선가 감정이 새어서 넘쳐 흘러내릴 정도로 고마워하는 편이었다. 유독 그 선배와 만나면 두

세 시간은 금방 지나갔다는 게 신기했다. 항상 시계를 보고 나서야 뒤늦게 깨달았다.

문득, 시계를 보다가 이 지나가는 하루 중 누군가와 대화처럼 나를 나에게 나누는 시간이 얼마일지 나열해본다. 초침이 시침을 빠르게 덮치듯 내 시간도 그러했던 것 같다.

언제나 누군가와 소통하는 일을 좋아했는데, 정작 스스로와는 대화하지 못했다. 목소리 하나 내는 법조차 모를 만큼 스스로를 잊고 지낸 건 아닐까. 그래서 오늘 내가 선배에게 했던 말들을 떠올려봤다.

[고맙다]

1. 공경할 만하다.

가끔, 무언가 하나씩 떨어뜨리는 나의 실수로 인해 내가 놓치고 있던 것들. 시간이 지날수록 당연하게 여겼던 마음. 그리고 누구보다 자신에게는 생각지도 못한 말이었다.

잠시 멈추는 글

비 내리는 날씨를 핑계로 오랜만에 숨겨왔던 우울을 꺼내어본다. 오늘은 궂은 가을비가 차들을 가로막고 있었다. 그렇게 누군가의 다리를 흠뻑 적시게 하는 걸 보면 잠시 멈출 수 있는 법을 비는 알려주는 것 같기도 했다.

뭘 해도 하지 않고 있는 것 같은 불안감. 나는 그런 불안감을 뿌리로 살아가는 사람 중 하나였다. 애써 웃으려 해도 괜찮지 않던 날들. 오히려 과장해서 마음에 담아보려 했던 사람들. 그런 나를 드러내고 살아가기엔 가끔 가면 같은 것을 달고 있는 편이 편하기도 했다.

소나기 같던 비가 보란 듯이 거세진 걸 핑계로 더 잠겨 봐도 되는 걸까. 잠시 복잡하던 생각까지도 뒤로하고 오히려 나를 갉아먹는 것들과 조금은 친해져도 되지 않을까.

나는 나를 납득할 수 없는 사람이라 이리저리 치이는 것들은 전부 나에게 쥐여 주곤 했는데. 애써 괜찮은 척하려고 했던 걸 아주 잠시 멈춰본다.

내 두 다리를 묶고 있던 무언가는 스스로를 묶고 있었을 뿐이라는 걸. 그래서 나를 이토록 우울하게 만든 거라고. 나 좀 봐달라고. 다른 사람들만 보지 말아 달라고. 그렇게 말하고 있었다는 걸 이제서야 알아버렸다. 나에게도 소리 없이 일어나는 소란스러움이 있다는 걸. 그러니까 잠시만 괜찮은 척 같은 건 멈추자고.

머무는 건 적었고 떠나는 건 많아서. 괜찮은 척할 게 너무 많았다고. 그래서 스스로에게 의지할 수도 있다는 걸 배워간다고. 결국 나는 나 자신에게 뿌리내려 살아가는 것 중 하나였다고. 어느덧 우산이 사라진 거리를 나는 걸어갈 수 있었다.

민낯 II

내 민낯은 퍽 어려웠다. 있는 그대로를 드러내기엔 창피하기 그지없던 것이다. 그럼에도 불구하고, 민낯으로 사랑하고 싶기도 했다. 가장 진하게 물들 사랑에게.

내가 사랑하는 방법

문득 그랬다. 무언가 놓치고 있는 느낌. 그래, 수동적
이라는 표현이 맞았다. 꽤나 부정적이기도 하고. 아
니, 무기력하다는 표현이 맞았을지도. 요즘 들어 해야
하는 것들에 끌려다니는 것 같았다. 그것이 일이든 감
정이든 그러했다. 감정 기복이 있는 편이라고 말했다.

일어날 기起에 엎드릴 복伏.
지세가 높아졌다, 낮아졌다 함을 뜻한다.

누군가는 나를 항상 밝은 사람이라 하고, 또 다른 누
군가는 너무 걱정이 많은 사람이라고 한다. 아직 나조
차 나라는 사람을 정의하지 못하는데 말이다. 감정도
기복이 있다고 하는데 하물며 아직 삶의 반도 살아보
지 못한 나에게 나는 아직 어려운 게 당연했다.

만나는 사람마다 말투나 성격이 달라진다. 하물며 이

야기하는 소재도 깊이도 달라진다. 주장이 없는 편이 아니라 그들에게 맞춰 달라질 수 있는 여유가 있다는 걸 알고 있었다. 적어도 몇십 년을 살면서 느낀 나는 그랬다.

그래도 아직 감정에 서툰 건 여전하다. 어느 감정의 한구석이 찔리면 펑펑 울며 슬퍼할 줄도 알았다. 조금은 제멋대로이긴 하지만 이 감정은 또 다른 누군가가 곤란해하는 것 같으면 굽힐 줄 알고 맞추려고 한다.

사랑을 하고 싶었다. 깊고 오래된 사랑. 연애를 하면서 감정에 서툴다는 걸 다시 한번 깨닫기도 한다. 흔히들 말하는 목마른 사랑. 어릴 때는 그것에 집착하는 것일지도 모르겠다고 생각했다.

사랑을 하고 있었다. 어쩌면 누군가를 사랑하고 싶어

한다는 감정은 말이다. 사랑받고 싶었다고. 스스로 사랑하고 싶다는 신호일지도 모르겠다고 생각했다. 돌이켜보면 너로부터 나를 사랑할 수 있었다.

참으로 서투른 어린아이 같았다. 다 가지려고 들다가 어른이 되어가면서 누군가로부터 진정으로 사랑을 주는 법을 알아가는 것이다. 내가 사랑하는 방법은 그랬다. 너를 사랑했다가 결국 나를 사랑하는 법이었다.

도주

새벽길을 걷는 습관이 있다. 습한 생각이 목 언저리 끝까지 차오르는 기분으로 달렸던 것 같다. 불면을 없애기 위해 한두 번 걷던 걸음은 어느새 아무도 없는 곳을 즐겨 찾고 있었다. 유일하게 짐도 챙기지 않고 몇 번을 떠날 수 있는 도망이었을까.

그렇게 가끔 사라지듯 어디론가 도망치고 싶었다. 쉬고 싶다는 말 한마디면 될 걸. 그 말이 뭐가 그리도 어려웠는지.

목에 무언가 걸린 것처럼 쉬고 싶다는 말이 나오지 않았다. 누군가 나의 입을 틀어막고 있는 것도 아닐 텐데. 결국 스스로를 손가락질하고 있었을 뿐이다. 비겁하고 치사한 방법으로 나는 살아가고 있었다.

쉬는 법을 모르는 생각은 너무 해로운 녀석이다. 지쳤던 생각. 눈을 감고 나를 지독하게 괴롭히던 것에 대해 딱 1분만 생각해 볼까. 그것을 인정하는 것만큼이라도 충분하다.

그럼 아무 말 없이 데리러 가겠다고. 걱정을 핑계로 걸음을 맞추고 싶었다고. 말없이 그렇게 걷기만 해도 좋았다고.

제법 가볍게 살아도 되지 않을까

눈꺼풀이 계속 감기는 날이 있다. 생각해 보면 유독 그런 날들은 뭐든지 무거웠달까. 삶도 마찬가지라고 생각했는데 오히려 나이가 들고 나서야 살아가면서 점점 덜어가야 할 것들을 배운다.

어렸을 때는 제법 수다스러웠고, 커서는 마주 앉은 사람의 이야기 듣는 걸 좋아하는 사람이 되어 있었다. 아마 점점 덜어가야 할 것들이 있다면 이런 게 아닐까. 나는 처음으로 조금 나이가 들었다고 생각했다.

듣는 걸 좋아하다 보니 연쇄작용처럼 무언가 써 내려가는 일에 익숙해져 갔다. 그렇게 누군가의 말을 듣고 써 내려가는 일을 하다 보면 무수한 말 사이에서 정말 하고 싶은 말을 찾고 고르는 법을 배운다.

대단히 어려운 단어보다 힘을 빼고 가볍게 쓴 글. 듣

기 좋을 뻔한 말들보다 진심이 담긴 한마디가 제일 좋은 것이라고.

하고 싶은 말이 많은 것보다 어떤 말을 해야 진심이 전해지는지를 배워간다. 이런 걸 보면 우리는 제법 가볍게 살아가도 되지 않을까 하고.

파도 보는 일

살면서 많은 것이 밀려온다. 크고 큰 문제들. 눈에 보이지 않는 문제들조차 어느새 내 발목을 단단히 쥐고 있었다. 그래서 시원히 치는 저 파도를 좋아했던 걸까.

잔잔함 위에 뿌려댄 갈매기와 파도 소리. 넘실대는 바람이 바다와 모래사장을 덮치는 일. 햇빛 조각이 떨어져 나가 바다 위에 하얀빛이 내려앉는 일. 모든 일을 뒤로하고 보러 온 바다는 아무 일도 없다는 듯 평화로웠다.

잔잔한 파도가 육지를 향해 조금씩 밀려왔다. 마음이 답답할 땐 크고 넘실거리는 파도만 떠올랐는데. 편안히 밀려와서 무심코 지나갔던 그 소리, 그것에 귀 기울여본다. 꼭 큰 파도만이 인생을 닮은 것이 아니었다. 어쩌면 바다는 위로가 아닐까.

네 이름으로 걸어갈 수 있어서

무심코 걷다가 다리에 힘이 풀린 적이 있다. 많이 걷지도 않았는데 제 맘대로 주저앉아 버린 날. 그날따라 내 걸음걸이는 더 이상했던 것 같다. 분명 별일 없이 걸어가고 있었다고 생각하던 모든 것이 저물어버린 기분.

아무런 발자국이 남아 있지 않은 것으로 보아
나다닌 사람은 없어 보였다.

최인호 < 지구인 >

꼭 뒤를 돌아보면 애써왔던 내 발자취 하나 남아 있지 않을 것 같아서 누군가에게 쫓기듯 서둘러 집으로 걸어갔다. 무언가 발로 밟고 지나갈 때 남는 흔적. 그때 나는 소리에 집착하기도 했다. 아무것도 걸어오지 않은 사람이 되어있을까 하는 불안감. 그 작고도 허름한 것이 내 발목을 덮치다 결국 턱 끝까지 범람한다. 꼭 그런 불안감에서 도망치고 싶을 때쯤, 집에 다다르고 나서야 주위가 보였던 것 같다. 어느덧 해가 저물어 있었고 오늘의 마지막 노을은 걸어가는 발자국들을 향해 기울이고 있었다.

한 노부부가 손을 잡곤 걸어가고 있었다. 걷는 게 꽤나 힘들어 보임에도 불구하고 꼭 마주 보며 걸어가는 발자국은 해가 저물고 내가 본 장면 중에 가장 편안한 소리였다.

잊고 있었지만 그랬다. 힘들어도 사람은 또 사람으로 걸어갈 수 있어서. 그렇게 오늘도 눈을 감고 또 당신과 함께 걸어갈 수 있어서.

황혼, 마지막 추신

글을 잡고 나서부터 부쩍 해가 지는 하늘을 바라보곤 합니다.

빛이 지는 쪽을 따라가 보니 우연히 황혼의 저 끝자락에 눈을 마주했나 봅니다. 이름 모를 누군가에 찬란했던 하루의 끝이라서. 하늘은 어쩌면 말로는 도저히 뱉을 수 없는 빛을 쥐여 주는 것일까 했습니다.

당신도 생전 어느 날 이 풍경을 담아 갔을까 싶습니다. 황혼은 당신을 무척 닮았나 봅니다. 어느 고단했던 운행의 하루이자 종점이라서 이리도 제게 선한 잔향을 남긴 것인가 했습니다. 이젠 해가 지는 하늘을 보고 웃을 수도 있겠습니다. 황혼에서 기리겠습니다. 아버지.

안녕한 밤을 보낸다는 건

2022년 2월 4일 초판 1쇄 발행
2022년 2월 4일 초판 1쇄 인쇄

지은이 | 전나영

책임편집 | 송세아
편집 | 이혜리, 안소라
제작 | theambitious factory
인쇄 | 아레스트

펴낸이 | 이장우
펴낸곳 | 꿈공장 플러스
출판등록 | 제 406-2017-000160호
주소 | 서울시 성북구 보국문로 16가길 43-20 꿈공장1층
전화 | 02-6012-2734
팩스 | 031-624-4527
이메일 | ceo@dreambooks.kr
홈페이지 | www.dreambooks.kr
인스타그램 | @dreambooks.ceo

* 저자 고유의 '글맛'을 위해 맞춤법 및 표현 등은 저자의 스타일을 따릅니다.

꿈공장+ 출판사는 모든 작가님들의 꿈을 응원합니다.
꿈공장+ 출판사는 꿈을 포기하지 않는 당신 곁에 늘 함께하겠습니다.

ISBN | 979-11-92134-04-8

정 가 | 12,800원